Darllen 10 Munud

Criw Antur Pontypandy

Pan welwch y symbolau hyn:

| Darllenwch yn uchel i'ch plentyn. | Y plentyn i ddarllen gyda'ch cefnogaeth chi. | Chi a'ch plentyn i gyd-ddarllen. |

RILY

www.rily.co.uk

Addasiad Mared Roberts

Roedd plant Pontypandy yn gyffro i gyd. Roedden nhw'n edrych ymlaen at ddiwrnod llawn antur wedi'i drefnu gan Sam Tân.

"Mae'r trip yma'n mynd i fod yn cŵl!" meddai Jâms yn gyffrous. "Criw Antur Pontypandy yw'r clwb anturio gorau yn y byd!"

"A Sam Tân yw'r arweinydd gorau yn y byd," meddai Sara.

 Mae Criw Antur Pontypandy yn gyffro i gyd.
Maen nhw'n mynd ar antur.

"**D**wi'n gobeithio y cawn ni wneud pethau gwych fel dringo!" meddai Mandi gan sboncio.

Meddwl am ei fol roedd Norman. "Dwi'n gobeithio bydd digon i ni ei fwyta!" meddai. Ar y gair daeth ei fam, Dilys Preis, draw gyda bag mawr brown yn llawn o fwyd.

"Peidiwch â phoeni," meddai. "Dwi wedi paratoi gwledd i chi i ginio."

Daeth Sam allan o'r orsaf dân. "Ydyn ni i gyd yn barod am ddiwrnod llawn antur?" gofynnodd.

 Mae Norman eisiau picnic mawr. Mae Sam yn barod am ddiwrnod llawn antur.

Roedd Bronwen Jones wrthi'n chwilio am gregyn tlws ar draeth Pontypandy pan ddaeth ar draws rhywbeth od iawn.

Roedd llawer o focsys pren wedi'u golchi i'r lan gan y llanw ac roedd mwy i'w gweld yn y môr.

"Fe allai'r bocsys yma fod yn beryglus iawn i gychod," meddai Bronwen, "heb sôn am fywyd gwyllt y traeth a'r môr. Mae'n well i mi ffonio Sam Tân!"

 Mae Bronwen yn chwilio am gregyn. Mae hi'n gweld pethau peryglus ar lan y môr.

Yn yr orsaf dân, canodd Prif Swyddog Steele y larwm.

"Mae argyfwng ar y traeth," meddai'n frysiog. "Sam, mae angen dy help di arnom ar unwaith."

"Mae'n ddrwg gen i, blant," meddai Sam gan neidio i mewn i Jwpiter. "Bydd yn rhaid i ni fynd ar antur ryw ddiwrnod arall."

Roedd y Criw Antur yn drist iawn.

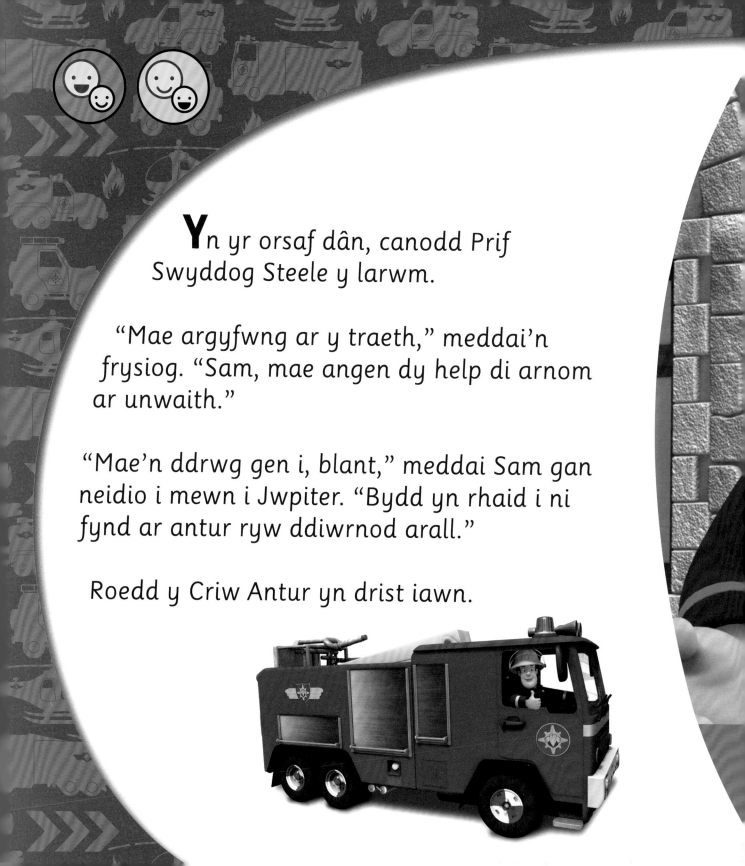

 Mae angen help Sam ar lan y môr. Mae'r plant yn drist bod Sam yn methu dod ar yr antur.

"Beth wnawn ni nawr?" gofynnodd Mandi. "Fe ddywedodd Sam fod syrpréis mawr i ni ar ddiwedd ein taith gerdded dros y mynydd."

"Beth am fynd ar yr antur heb Sam?" meddai Norman. "Y cyfan sydd ei angen arnon ni yw arweinydd – a **fi** yw'r dewis perffaith!"

"Na, Norman," atebodd Dilys yn bendant. "Mae angen oedolyn i'ch harwain chi dros y mynydd."

"Mi af fi efo'r plantos!" meddai Trefor, felly roedd Criw Antur Pontypandy yn cael mynd ar antur wedi'r cwbl!

 Mae Norman eisiau arwain y daith, ond mae Trefor yn cynnig gwneud.

Toc, roedd Trefor a'r Criw Antur yn martsio i fyny'r llwybr at gopa'r mynydd.

"Dewch, bawb!" gwaeddodd Norman.

"Arafa plis, Norman," meddai Trefor, a'i wynt yn ei ddwrn. "Rhaid i mi wneud yn siŵr ein bod ni'n mynd y ffordd iawn."

Estynnodd Trefor y map, ond cyn iddo gael cyfle i edrych arno, daeth chwa o wynt a'i gipio o'i ddwylo!

"Grêt!" meddai Norman gan rowlio'i lygaid. "Beth wnawn ni nawr?"

"Ymm, peidiwch â phoeni," meddai Trefor. "Dwi'n gwybod y ffordd."

 Mae'r Criw Antur ar eu taith ond mae Trefor yn colli'r map!

Yn y cyfamser, roedd y tîm achub yn codi'r boscys o'r traeth.

Roedd Sam a'r criw yn symud y bocsys cyn iddyn nhw greu trafferth i gychod.

Roedd Tom yn hedfan ei hofrennydd uwch y traeth. "Sam, wyt ti yna?" holodd Tom dros y radio. "Mae'r bocsys wedi cwympo o gefn llong gargo sydd filltir neu ddwy o'r lan. Drosodd."

"Diolch, Tom," atebodd Sam. "Fe geisiwn ni eu casglu i gyd a mynd â nhw at y llong mor fuan â phosib. Allan."

 Mae Sam a'r tîm achub yn brysur ar y traeth. Mae Tom yn gweld y llong sydd wedi colli'r bocsys.

Roedd Criw Antur Pontypandy wedi blino'n lân ac ar lwgu. Doedden nhw ddim wedi cael cinio, ac roedd Norman yn amau bod Trefor wedi colli'r ffordd.

"Beth am gymryd hoe i gael tamaid o ginio?" awgrymodd Trefor. Cytunodd pawb a'i syniad gwych. "Rŵan, gan bwy mae'r bwyd?" gofynnodd.

"O na!" llefodd Mandi. "Chi oedd â'r picnic…"

"Fi?" meddai Trefor, gan ysgwyd ei ben. "Naci wir. O diar."

Ochneidiodd Norman gan wasgu ei fol gwag. "Dyma'r trip gwaethaf erioed!"

 Mae Trefor a'r Criw Antur yn llwgu, ond maen nhw wedi anghofio'r picnic!

Yn hwyrach yn y prynhawn, roedd gan Trefor syrpréis i'r plant. "Dwi'n gwybod mod i wedi colli'r map ac wedi anghofio'r cinio," meddai, "ond rydan ni wedi cyrraedd pen draw'r llwybr a ... Ta-daa!!"

"Waw!" meddai pawb wrth weld gwifren sip yn rhedeg rhwng gorsaf y tîm achub a gwaelod y mynydd.

"Cŵl!" meddai Sara. "Ga i fynd gynta?"

 Mae Trefor yn llwyddo i fynd â'r plant i ddiwedd y llwybr. Mae gwifren sip yno!

Ond roedd gan Norman syniad gwell. "Byddai Sam yn siŵr o fynd gynta, petai e yma," meddai'n ddireidus. "Efallai y dylech chi fynd, Trefor, os nad oes ofn arnoch chi?"

Edrychodd Trefor ar y wifren sip a llyncu ei boer. "Nag oes," meddai. "Mi . . . mi wna i fynd gynta!"

Toc, roedd Trefor yn gwisgo'i helmed ac yn barod i fynd. Cymerodd anadl ddofn, cyfri i dri a gwibio i lawr y wifren sip. "Aaaaaaaaa!" gwaeddodd.

Yn sydyn daeth y pwli i stop ac roedd Trefor yn hongian yn yr awyr!

 Mae Trefor yn gwibio i lawr y wifren sip, ond wedyn mae'n mynd yn sownd!

"O, na!" gwaeddodd Norman. Roedd yn teimlo'n euog am wneud i Trefor fynd ar y wifren sip yn gyntaf. "Mi reda i i'r orsaf achub mynydd i ofyn am help gan Tom."

Ond doedd Tom ddim yno. Roedd o'n dal ar lan y môr yn helpu Sam Tân.

"Mae'n well i mi alw am help," meddai Norman gan afael yn nheclyn radio'r orsaf. "Helô? Helô? Sam Tân, wyt ti yna?"

 Galwodd Norman ar Sam Tân i ddod i
helpu Trefor.

Roedd y tîm yn ôl yn yr injan dân ar ôl gorffen clirio'r bocsys a'u dychwelyd i'r llong. Yn sydyn, clywodd Sam lais Norman ar radio Jwpiter.

"Norman? Ti sy 'na?" holodd Sam, wedi'i synnu.

"Ie! Dwi yn yr orsaf achub mynydd ac mae Trefor mewn trafferth!" meddai Norman.

"Rydan ni ar ein ffordd!" atebodd Sam gan ganu seiren Jwpiter. I ffwrdd â nhw ar ras.

 Mae Norman yn dweud wrth Sam fod Trefor mewn trafferth. Mae Sam ar ei ffordd!

Roedd Trefor yn dal ei afael yn y pwli ar y wifren sip, ond gallai deimlo'i ddwylo'n llithro. "Alla i ddim dal fy ngafael yn llawer hirach!" gwaeddodd.

Ond roedd Sam Tân a'r criw yno mewn chwinciad. Estynnon nhw'r fatres lanio o gefn Jwpiter a'i dal o dan Trefor.

"Iawn, Trefor," galwodd Sam. "Rydan ni yma i dy ddal di. Mae'n iawn i ti ollwng dy afael!"

 Mae Trefor bron â chwympo, ond mae Sam a'r tîm yno i'w achub.

Caeodd Trefor ei lygaid a gollwng gafael. Glaniodd gan fownsio ar y fatres ac roedd pawb yn falch!

"Roedd hynna'n cŵl!" meddai Jâms.

"Oedd!" cytunodd Norman. "Wyddoch chi be, Trefor? Dwi'n meddwl mai chi ydi'r arweinydd gorau yn y byd . . . heblaw am Sam."

 Mae Sam Tân a'r tîm yn achub Trefor. Mae Norman yn meddwl bod Trefor yn arweinydd gwych wedi'r cwbl.

Roedd Criw Antur Pontypandy i gyd yn falch fod Trefor yn iawn, ond roedden nhw'n dal ar lwgu! Ac ar y gair, daeth Dilys i fyny'r mynydd yn cario bag papur mawr.

"Fe anghofioch chi'ch cinio!" meddai, a'i gwynt yn ei dwrn. "Ydych chi wedi cael hwyl?"

Neidiodd Norman i fyny'n frwd. "Roedd Trefor yn ddewr iawn, Mam!" meddai. "Dylet ti fod wedi ei weld yn hongian ar y wifren sip!"

"O, bydd rhaid i ti fynd arni eto i ddangos i mi!" meddai Dilys. Ond allai Trefor feddwl am ddim byd gwaeth!

"Ymm, gawn ni weld, ia?" atebodd.

 Mae Dilys yn dod â bwyd i bawb. Mae hi am i Trefor fynd ar y wifren sip. Ond mae Trefor yn dweud: "Gawn ni weld, ia?"

Mae rhagor o
lyfrau i'w darllen
yn uchel, yn unigol
ac ar y cyd ar wefan
www.rily.co.uk!